« D'accord ! répondit Bob L'éponge. Je vais chercher Patrick tout de suite et l'Opération Valentin pourra commencer ! »

Bob l'éponge regarda fièrement vers le ciel Sandy qui s'envolait en ballon. Il ne pouvait attendre de voir la réaction de Patrick. Voilà une Saint-Valentin que son ami l'étoile de mer ne serait pas prêt d'oublier !

Publié par PRESSES AVENTURE, une division de
LES PUBLICATIONS MODUS VIVENDI INC.
55, rue Jean-Talon Ouest, 2ᵉ étage
Montréal (Québec)
Canada H2R 2W8

Dépot légal : Bibliothèque et Archives nationales du Québec, 2007
Dépot légal : Bibliothèque et Archives Canada, 2007

Traduit de l'anglais par : Catherine Girard-Audet

ISBN 13 : 978-2-89543-705-5

Nous reconnaissons l'aide financière du gouvernement du Canada par l'entremise du
Programme d'aide au développement de l'industrie de l'édition (PADIÉ) pour nos
activités d'édition.

Gouvernement du Québec — Programme de crédit d'impôt pour l'édition de livres
— Gestion SODEC

Le plus beau des Valentins

par Terry Collins

illustré par Mark O'Hare

basé sur la télésérie originale de Chuck Klein,
Jay Lender et Merriwether Williams

PRESSES AVENTURE

chapitre un

«Joyeuse Saint-Valentin, Bikini Bottom!» s'écria Bob L'éponge en bondissant hors de sa maison en forme d'ananas et en courant sur le sol océanique.

Bob L'éponge croyait que le 14 février n'arriverait jamais! Ses petits bras débordaient de valentins de toutes les tailles et de toutes les formes. Après des semaines d'attente, il pouvait enfin aller distribuer les valentins qu'il avait personnellement préparés pour ses amis!

«Premier arrêt : un valentin pour mon voisin favori!» ricana Bob L'éponge.

S'avançant gaiement sur la pointe de ses souliers de cuir verni, Bob L'éponge lança un grand valentin rose chez Carlo, son voisin grincheux.

«Joyeuse Saint-Valentin, mon vieux! fredonna Bob L'éponge. Veux-tu être mon Valentin?». Carlo fit la grimace puis se réinstalla dans son fauteuil. «Pourquoi ne vas-tu pas t'amuser dans les eaux infectées de requins?» suggéra-t-il sarcastiquement. «C'est une très bonne idée! Les requins ont également besoin d'amour et j'ai encore des tas de valentins à distribuer!! répliqua Bob L'éponge. Au revoir!».

«Bon débarras!» s'exclama amèrement Carlo qui déchira son valentin en petits morceaux qu'il jeta au-dessus de sa tête.

Apercevant Madame Puff au volant de son bateau moteur bleu et blanc, Bob L'éponge courut à côté du véhicule.

«Joyeuse Saint-Valentin, Madame Puff!» s'écria

Bob L'éponge en lui offrant un valentin rouge orné de dentelle blanche.

«Oh! Merci beaucoup, Bob L'éponge!» répondit-elle en ouvrant le précieux valentin.

«Vous me faites tout un choc», lut-elle sans plus porter attention à la conduite de son véhicule.

Bang! Madame Puff entra en collision avec une borne d'incendie!

Pouf! Son corps se mit à gonfler pour atteindre le quadruple de sa taille normale!

Heureusement, le corps gonflé de Madame Puff la protégea et elle ne fut pas blessée dans l'accident.

Bob L'éponge n'entendit pas le bruit de l'impact car il s'était déjà remis en route afin de distribuer d'autres valentins.

S'emparant d'une pince à sourcils, il choisit le plus petit valentin de la pile et il l'offrit à une petite créature verte munie d'un œil rouge globuleux.

«Bob L'éponge! s'écria Plankton. Alors, le

Capitaine Krabs t'a envoyé afin de me détruire? Eh bien je suis prêt! Fonce!»

«D'accord! répondit Bob L'éponge. Voici pour toi!»

Plankton s'empara du valentin et il le lut à haute voix : «Je suis prêt à tout pour toi! Sois mon valentin! Amitiés… Bob L'éponge!»

«Ha! Ha! Ha! Ha!» Bob L'éponge ricanait en s'éloignant. «Joyeuse Saint-Valentin, Plankton!»

«Maudit sois-tu, Bob L'éponge! s'écria Plankton en trépignant de colère. Maudit sois-tu!»

Mais Bob L'éponge ne lui portait plus attention. Il continuait de parcourir Bikini Bottom et de distribuer ses nombreux valentins. Cependant, il devait faire vite car il avait un dernier arrêt à effectuer avant la fin de cette journée de la Saint-Valentin…

chapitre deux

Bob L'éponge se rendit au dôme vert de Sandy. Il était fin prêt à passer à une étape plus avancée de ses plans de la Saint-Valentin.

Sandy, vêtue de sa combinaison de plongée blanche, l'attendait dehors le sourire aux lèvres et les mains derrière le dos.

«Joyeuse Saint-Valentin, Bob L'éponge! Je suis folle de toi!» s'exclama Sandy en souriant. Elle lui remis un gland en forme de cœur, transpercé au centre d'une flèche en brindille.

«Et toi, tu me fais voir des bulles, Sandy!» répliqua Bob L'éponge en prenant sa baguette à bulles et une bouteille de sirop de chocolat.

Passé maître dans l'art de souffler des bulles, Bob L'éponge souffla une bulle en chocolat en forme de cœur en direction de Sandy.

«Miam! C'est délicieux!» dit-elle en gobant sa surprise par la petite porte de son casque spatial.

«Patrick va adorer celui que tu lui as préparé!»

Bob L'éponge et Sandy se tournèrent ensemble afin de regarder l'énorme ballon en chocolat attaché au sol derrière le dôme vert. Le ballon était assez grand pour transporter deux personnes dans la nacelle accrochée dessous. Il y avait même une guimauve rose en forme d'étoile de mer fixée de chaque côté!

«Redis-moi le plan encore une fois, dit Sandy en examinant le ballon. Bob L'éponge trempa la baguette à bulles dans le sirop de chocolat, prit une grande inspiration et souffla un modèle réduit en chocolat en trois dimensions du site du Carnaval de la Saint-Valentin de Bikini Bottom !

«Première étape : Patrick et moi allons au Carnaval de la Saint-Valentin, commença Bob L'éponge d'un ton de commandant. Deuxième étape : Nous prenons position, Patrick et moi, en haut de la grande roue. »

«Vérifié et contre-vérifié», répliqua Sandy en secouant la tête en signe d'approbation. Elle était très impressionnée par le modèle réduit en chocolat qui planait dans l'eau.

Bob L'éponge souffla une petite réplique en chocolat de l'énorme ballon en forme de cœur. La petite copie se mit à flotter au-dessus du modèle réduit du site du carnaval. «Troisième étape : Tu arrives avec le valentin de Patrick au point désigné pour un contact visuel maximum. »

«J'ai compris!» dit Sandy en se préparant pour le décollage.

La petite bulle atterrit sur le trottoir en planches du site du carnaval en chocolat. «Quatrième étape: Patrick est complètement impressionné! Mission accomplie!»

«Cela me semble parfait, Bob L'éponge!» dit Sandy en détachant les cordes qui gardaient le cadeau de Saint-Valentin de Patrick attaché au fond de l'océan. «Tiens-moi au courant avec ton téléphone-coquillage.»

«D'accord! répondit Bob L'éponge. Je vais chercher Patrick tout de suite et l'Opération Valentin pourra commencer!»

Bob L'éponge regarda fièrement vers le ciel Sandy qui s'envolait en ballon. Il ne pouvait attendre de voir la réaction de Patrick. Voilà une Saint-Valentin que son ami l'étoile de mer ne serait pas prêt d'oublier!

chapitre trois

Crac! Crac! Crac! Crac!

Patrick l'Étoile de Mer était en train de casser des roches.

Crac! Crac! Crac!

En fait, il s'agissait d'une seule roche. Il était en train de sculpter la pierre pour lui donner la forme d'un cœur. Patrick savait que Bob L'éponge était sur le point d'arriver et il voulait terminer son cadeau.

Crac! Crac!

Patrick aimait la Saint-Valentin presque autant

qu'il aimait Bob L'éponge. L'étoile de mer avait même acheté un nouveau t-shirt avec un grand cœur rouge dessus pour l'occasion.

Crac!

«Voilà! dit Patrick, heureux de son ouvrage. Parfait et lisse!»

L'étoile de mer souleva le valentin de pierre juste au moment où Bob L'éponge arrivait derrière lui.

«Bonjour Patrick!» dit Bob L'éponge.

Patrick eut l'air confus. Il scruta la roche du regard. «Allô?» dit-il.

«Patrick, c'est moi. Bob L'éponge», s'exclama Bob L'éponge.

«Ça alors!!» s'écria Patrick en laissant tomber la roche dans sa surprise. «Bob L'éponge est pris à l'intérieur de la roche! Attends mon vieux! Je vais te sortir de là!»

S'emparant d'une deuxième pierre, Patrick se mit à frapper la roche en forme de cœur. Après l'avoir martelée, il réduisit son valentin à une pile de petits cailloux !

Patrick était horrifié ! Avait-il écrasé son meilleur ami ?

« Bob L'éponge ? » souffla-t-il, examinant les débris.

Se tenant derrière Patrick, Bob L'éponge roula les yeux. « Oui, Patrick ? »

« Bob L'éponge ! Oh non ! » dit Patrick en tombant sur les genoux en larmes. Il prit les cailloux dans ses mains et les souleva près de sa joue. « Mon pauvre ami ! »

« Hum, Patrick ? Je suis juste derrière toi ! » dit Bob L'éponge.

Patrick se retourna et bondit de joie ! « Te voilà ! » dit-il joyeusement en repoussant les petits cailloux. « Joyeuse Saint-Valentin ! Voici ton cadeau ! »

Bob L'éponge regarda les débris. « Merci ! » dit-il avant montrer Patrick du doigt. « Et moi, j'ai un cadeau pour toi. »

Les yeux de Patrick brillèrent d'excitation.

«Oui? dit-il. Pour moi!»

«Pour toi! dit Bob L'éponge en rigolant. Il s'agit du plus merveilleux…»

Les yeux de Patrick sortirent de leurs orbites. Il essaya de parler, mais tout ce qu'il parvint à dire fut «Uhhh!».

Bob L'éponge poursuivit, «Le meilleur…»

Un filet de bave s'échappa du coin de la bouche de Patrick. «Oui?» dit-il.

«Le plus fabuleux…»

Patrick se mit à faire la roue avec anticipation. «Uh-huh! Uh-huh!»

«Le plus incroyable cadeau que tu n'aies JAMAIS vu!»

«OUUUUUUUUIIIIIIIIIIIIIIIIIIIIIIIIIIIIIIIIIII!» s'écria Patrick en faisant des roulades sur le fond de l'océan.

«Mais, ajouta Bob L'éponge d'un ton taquin, tu ne peux pas l'avoir maintenant.»

« Hein ? » Patrick sauta sur ses pieds et enfonça son visage dans la pointe du long nez de Bob L'éponge. « Pourquoi pas ? » demanda-t-il d'une voix blessée.

Bob L'éponge haussa les épaules. « Parce que ce n'est pas encore prêt. »

Patrick attendit environ une seconde. « Est-ce que c'est prêt maintenant ? » demanda-t-il.

« Pas encore », le taquina Bob L'éponge.

Patrick grinça des dents. « Maintenant ? » demanda-t-il, plein d'espoir.

« Non. »

« Et maintenant alors ? » demanda-t-il.

Bob L'éponge mit ses mains sur ses hanches carrées et fronça les sourcils. « Veux-tu ruiner la surprise ? » demanda-t-il.

« OUI ! » répondit Patrick en faisant un signe de tête. Il fit ainsi tourbillonner l'eau autour de son cou, donnant l'impression d'un mini-bain-tourbillon.

«Ah-ah-ah-ahhhhhh!» gronda Bob L'éponge en remuant son doigt.

«Allons! S'il te plaît!» supplia Patrick.

Bob L'éponge croisa les bras. «Désolé.»

Patrick se laissa tomber sur le sol la face la première. «Tu dois me le dire!» supplia-t-il.

«Je ne peux pas, mon vieux. Tu devras attendre», dit Bob L'éponge en essayant de bouger. Il regarda ses pieds. Patrick tenait fermement de ses deux mains la cheville droite de Bob L'éponge.

«Je t'en prie! Je t'en prie! Je t'en prie!» suppliait Patrick de toutes ses forces alors que Bob L'éponge commençait à l'entraîner tranquillement vers le site du carnaval.

«Hum-hum, dit Bob L'éponge. Tu sais ce qu'ils disent… tout vient à point à qui sait attendre!»

«M…mais… J'en ai assez d'attendre! hurla Patrick. Je veux mon cadeau maintenant!»

chapitre quatre

Bob L'éponge jeta un regard à sa montre. Cela prenait plus de temps qu'il avait prévu puisque Patrick demeurait accroché à sa cheville. Il ne voulait surtout pas être en retard et rater l'arrivée de Sandy.

« S'il te plaît ! S'il te plaît ! S'il te plaît ? » continua de supplier Patrick.

Bob L'éponge tenta de dégager sa jambe, mais son ami avait une forte prise. Il soupira et continua sa marche.

«S'IL TE PLAÎT! Oh, Je t'en prie, dis-moi! S'il te plaît! S'il te plaît! le supplia Patrick. Je t'en prie, tu dois me le dire! Dis-moi! Dis-moi! Dis-moi!!!.... S'IL TE PLAÎT!!!»

«D'accord Patrick! Nous y voici! annonça finalement Bob L'éponge. Une surprise s'en vient!»

L'étoile de mer regarda vers l'horizon marin en haletant. Il ouvrit la bouche toute grande et sauta de joie!

«Tu m'as organisé un carnaval!?» s'écria joyeusement Patrick en accourant vers l'entrée. «Un carnaval pour moi?»

«Non, pas un carnaval, je veux dire... pas exactement...» dit Bob L'éponge en tentant de s'expliquer. Mais Patrick ne l'écoutait plus.

«À moi! À moi! À moi!» s'écria Patrick, en dévisageant les autres résidents de Bikini Bottom qui profitaient des activités. «D'accord! Tout le monde dehors! Ceci est mon carnaval!

Bob L'éponge tapota l'épaule de Patrick. «Ce n'est pas ton carnaval!»

Patrick s'affaissa. «Oh!» dit-il.

Bob L'éponge plongea les mains dans les poches de sa culotte carrée et y sortit une pièce de vingt-cinq sous. «Voilà, dit-il en remettant la pièce de monnaie à Patrick. Pourquoi ne prends-tu pas cette pièce et...»

«Oh Super!... une pièce de VINGT-CINQ SOUS!» s'écria Patrick en la saisissant dans la main tendue de Bob L'éponge. «J'ai toujours voulu avoir une pièce de vingt-cinq sous!»

Bob L'éponge frappa son propre front humide.

«Il ne s'agit pas d'une pièce de vingt-cinq sous.»

«Cela ressemble pourtant à une pièce de vingt-cinq sous.»

«C'est une pièce de vingt-cinq sous, mais il ne s'agit pas de la surprise», expliqua Bob L'éponge.

«Oh! dit Patrick. Désolé»

«Ce que je veux, c'est que tu prennes cette pièce de vingt-cinq sous et que tu achètes une barbe à papa, dit Bob L'éponge en montrant du doigt une machine sur un petit chariot. Et ensuite...»

«DE LA BARBE À PAPA! Je n'arrive pas à y croire! dit Patrick en courant vers le vendeur avec un regard farouche. Donne-moi ce chariot! Je réclame ce qui m'appartient!»

Le pauvre vendeur prit ses jambes à son cou pour fuir Patrick qui le poursuivait sur le trottoir en planches.

Bob L'éponge rigolait. Patrick allait être si heureux lorsque Sandy allait arriver avec sa surprise!

«À l'aide! Va-t'en! Au secours!» hurla le vendeur.

«Barbe à papa! Donne-moi!» répondit Patrick.

Une vibration se fit sentir à l'intérieur de la poche de la culotte de Bob L'éponge. Il prit le téléphone-coquillage et appuya sur une touche.

«Sandy à Bob L'éponge... à toi Bob L'éponge!» dit la voix de Sandy dans le coquillage.

«Bob L'éponge à l'écoute.»

À bord du ballon valentin en chocolat, Sandy regarda de l'autre côté de l'océan et aperçut le clignotement des lumières et les drapeaux multicolores du carnaval.

«J'ai une vue sur le site du carnaval, dit-elle. Tu veux que j'y entre?»

Bob L'éponge grimaça. «Pas encore, Sandy. Patrick essaie toujours de deviner quel est son valentin!»

Dans la nacelle du ballon, Sandy rigola. « Tu es vraiment un blagueur! Terminé!»

Elle ajusta les guides du ballon et ce dernier se mit à flotter sur place.

Tout d'un coup, elle entendit un bruit de claquement!

«Oh non!» soupira-t-elle. Un essaim de crustacés s'avançait droit sur vers le ballon!

«Des pétoncles!»

La situation empira.

Comme ils s'approchaient davantage, Sandy reconnut de quel type de crustacés il s'agissait. «Des pétoncles mangeurs de chocolat!»

chapitre cinq

Bientôt épuisé de chasser le chariot de barbe à papa, Patrick s'arrêta devant Bob L'éponge. «Alors, il ne s'agissait pas de mon valentin?»

«Non!» dit Bob L'éponge.

«Alors, quoi? De quoi s'agit-il? demanda Patrick. JE NE PEUX SUPPORTER L'ATTENTE!»

«Tu devras deviner», dit Bob L'éponge en gloussant.

Patrick courut montrer du doigt la tente de la clairvoyante où on pouvait lire : «Lisez votre destinée.» «Cette tente?» demanda-t-il.

«Non! répondit Bob L'éponge. Tu dois faire mieux que cela!»

Patrick attrapa par le collet un achigan de mer ahuri.

«Celui-là?» demanda-t-il.

«Désolé, mais non!» dit Bob L'éponge en s'efforçant de ne pas rire.

Dégoûté, Patrick lança comme un javelot l'achigan de mer qui harponna au passage le hot-dog d'une des huit pattes d'une pieuvre.

«Hé! C'est mon repas!» se plaignit la pieuvre.

«Est-ce qu'il s'agit de ce hot-dog?» demanda Patrick.

«Ah! ah! Bob L'éponge se mit à rire. S'agit-il de ta réponse finale?»

Patrick réfléchit pendant quelques secondes. «Oui», dit-il

«Non!» répliqua Bob L'éponge.

Patrick fourra le hot-dog à l'intérieur de la bouche de la pieuvre et courut vers la tente des sciences de la Saint-Valentin. Se penchant sur un microscope, il aperçut dans la lentille une petite créature invisible à l'œil nu.

«Cette paramécie?» demanda Patrick.

Bob L'éponge répondit fermement : «Désolé, non.»

Patrick glissa vers Bob L'éponge et lui entoura amicalement les épaules.

«Ha! Ha! Ha! Tu es très rusé», dit-il avec une lueur de folie dans les yeux.

Puis, la lueur s'accentua.

Patrick avait une idée!

«Si je ne peux pas le trouver ici sur le site du carnaval, alors cela doit être à l'extérieur, en haut du... Mont Escalade-et-Tombe!» s'écria Patrick qui prit en courant la sortie vers la chaîne de montagnes la plus proche.

Bob L'éponge regarda son ami devenir de plus en plus petit au loin. Patrick escalada la montagne et se jeta en bas en criant : «AAAAAAÏÏÏEEEE!»

On entendit un bruit sourd quand il atterrit.

La chute ne ralentit toutefois aucunement l'étoile de mer : il retourna en courant près de Bob L'éponge.

«Le valentin... n'était pas là-bas... non plus», haleta Patrick qui tentait de retrouver son souffle.

Bob L'éponge plissa les yeux «Es-tu certain?» demanda-t-il.

Patrick considéra la question.

«Ahhh!» hurla-t-il. Il se retourna et courut de nouveau tout en haut de la montagne!

Alors que Bob L'éponge observait Patrick qui, encore et encore escaladait et se jetait du sommet du mont Escalade-et-Tombe, son téléphone-coquillage grésilla.

«Allô?»

«Sandy à Bob L'éponge!»

«À l'écoute, Sandy! dit Bob L'éponge. Tu peux amener le ballon maintenant!»

«Hum... Je ne peux pas Bob L'éponge», répliqua Sandy.

De retour à son ballon en forme de cœur, Sandy devait utiliser toutes ses connaissances en kung-fu pour tenir l'essaim de pétoncles en échec!

«Pourquoi pas?» demanda Bob L'éponge.

«Nous avons un petit problème», répondit Sandy en s'élançant pour donner un coup de pied de côté à un crustacé affamé, afin de l'éloigner.

«Han! Je suis aux prises avec un essaim de pétoncles mangeurs de chocolat qui essaient de percer le ballon!»

chapitre six

Bob L'éponge écouta, horrifié. Il pouvait entendre Sandy qui grognait sous l'effort, alors qu'elle luttait contre l'attaque des pétoncles.

« Allez-vous-en maintenant, espèce de petites vermines au bec sucré ! s'écria-t-elle. Han ! Bob L'éponge, je serai un peu en retard pour l'atterrissage ! »

Le corps entier de Bob L'éponge s'affaissa dans ses vêtements. « En retard ? dit-il d'un ton anxieux. Mais alors… »

« AAAAAAÏÏÏEEEE ! » hurla Patrick en tombant

une fois de plus du haut du mont Escalade-et-Tombe.

«Patrick?» dit Bob L'éponge d'une voix étouffée.

«Amène-le en haut de la grande roue comme tu avais prévu et je te retrouverai là-haut...Enfin j'espère! Terminé!» dit Sandy.

Bob L'éponge rangea son téléphone-coquillage. Que devait-il faire? Si Patrick ne réussissait pas à avoir son valentin, qui sait ce qu'il pourrait faire.

«Je suis vraiment certain qu'il n'est pas là-haut», annonça Patrick en haletant.

«AHH!» s'écria Bob L'éponge, surpris. Il n'avait pas entendu son ami revenir.

Patrick faisait peur à voir. Son nouveau t-shirt blanc était couvert de saletés, ses mains étaient éraflées par ses nombreux plongeons et son visage était fatigué.

«Où... est-il? demanda Patrick à bout de souffle. Où... est... mon... valentin?»

Bob L'éponge tressaillit. Il croisa ses doigts et dit, «En fait... il se trouve sur la grande roue.»

« LA GRANDE ROUE ! » beugla Patrick en attrapant Bob L'éponge par la main pour l'entraîner vers le manège lumineux.

Heureusement, il n'y avait pas de file d'attente et Bob L'éponge put acheter deux tickets pour un tour de grande roue. Patrick semblait en extase quand la roue se mit à bouger doucement. Il ne cessait de répéter en chuchotant, « Grande roue, grande roue, grande roue. »

Alors qu'ils s'élevaient de plus en plus haut, Bob L'éponge chercha anxieusement des yeux Sandy et le ballon valentin en chocolat. Malheureusement, il n'aperçut rien d'autre que l'eau profonde de la mer.

La roue s'immobilisa. Patrick et Bob L'éponge se trouvaient maintenant tout en haut de la grande roue, au point le plus élevé du site du carnaval.

Patrick se tourna vers Bob L'éponge. « Je suis prêt ! dit-il avec un grand sourire. Je suis prêt pour le plus beau valentin de tout ce vaste monde ! »

« Eh bien, voilà où tu recevras ton valentin », répondit Bob L'éponge en montrant du doigt les

montagnes, au-delà du site du carnaval. «Continue de garder l'œil ouvert, mon vieux! Une surprise s'en vient pour toi!»

«Ohhhhh! s'exclama Patrick en battant joyeusement des mains. «Mon valentin s'en vient!»

Alors que Patrick était dans tous ses états, Bob L'éponge en profita pour se retourner et sortir son téléphone-coquillage de sa culotte carrée. «Bob L'éponge à Sandy, chuchota-t-il. Allons, Sandy! C'est urgent!»

Dans le ballon, Sandy se trouvait au beau milieu d'une terrible bagarre! Une douzaine de pétoncles affamés grouillaient autour de l'écureuil et de son savoureux valentin en chocolat!

«Sandy à Bob L'éponge. Je nage en plein chaos! Han!» cria-t-elle en plaçant un bon coup de karaté sur le menton d'un pétoncle affamé. «J'ai dérivé de ma route!»

«De beaucoup?» demanda Bob L'éponge. Patrick devenait de plus en plus agité.

«Cela me dépasse, mais le fait que je me sois

perdue n'est pas le problème! Ces pétoncles voraces sont en train de manger le ballon! répondit Sandy en repoussant un autre crustacé. «Ils sont partout! Ce n'est plus qu'une question de temps avant…»

Sur ces mots, un des pétoncles parvint à vaincre la défense de Sandy et mordit avec appétit dans le ballon en chocolat!

«Oh non!» grogna Sandy.

De l'air se mit à sortir du trou et le valentin commença à descendre vers le fond de l'océan.

«Nous coulons Bob L'éponge! s'écria Sandy. Passons au plan B! Passons au plan B! Terminé!»

«Non, Sandy, Non! dit Bob L'éponge. Nous n'avons pas de plan B! Pas de plan B!»

Le téléphone-coquillage était éteint. Bob L'éponge était maintenant seul!

chapitre sept

Bob L'éponge rangea son téléphone-coquillage, puis se tourna vers Patrick.

«Je ne le vois pas Bob L'éponge! dit Patrick d'une voix aiguë. Peux-tu le voir? Car je ne le vois pas!»

«Hum... eh bien... Patrick... tu sais comment parfois, lorsque tu planifies quelque chose de spécial, les choses ne fonctionnent pas comme tu voudrais?» demanda Bob L'éponge nerveusement.

«Non! Je ne sais pas!» s'exclama Patrick alors que la sueur commençait à glisser sur son front. Il s'essuya le front et se tourna vers Bob L'éponge. «Bon sang! Il fait très chaud ici, tu ne crois pas?»

Avant que Bob L'éponge ne puisse répondre, Patrick s'était levé sur le siège de la grande roue. La balancelle se renversa en expédiant presque Bob L'éponge sous la barre de sécurité.

Patrick déchira son nouveau t-shirt blanc et en jeta les morceaux. «Gahhha!» hurla-t-il.

Craignant de tomber, Bob L'éponge tenta de se caler au fond du siège de la grande roue.

Patrick se mit à sauter de haut en bas en scandant, «Valentin! Valentin! Valentin!»

Depuis la base de l'immense grande roue jusqu'à son sommet, là où Patrick et Bob L'éponge étaient perchés, tous se mirent à pousser des petits cris et à gémir.

Bob L'éponge sentait son corps battre dans le vent comme un drapeau, alors qu'il s'accrochait à la barre de sécurité.

« Haaaaaaaa ! cria-t-il ! Patrick, arrête ! »

Patrick se mit à faire trembler la grande roue avec plus de vigueur.

« Va-len-tin ! Va-len-tin ! Va-len-tin ! » scanda-t-il.

« Attends Patrick, arrête ! » s'écria Bob L'éponge, absolument terrifié. Il libéra une de ses mains et fit signe à son ami déchaîné. « Voilà ! J'ai ton cadeau de Saint-Valentin ! »

Patrick resta figé sur place puis se tourna pour regarder Bob L'éponge.

Bob L'éponge sourit en remuant ses doigts.

« Ha ! Ha ! Ha ! Ha ! » gloussa-t-il.

Patrick se rassit et la grande roue cessa de trembler. L'étoile de mer fronça les sourcils et examina la main tendue de Bob L'éponge.

« Qu'est-ce que c'est ? » demanda-t-il.

« Une poignée de main ! dit Bob L'éponge avec son plus beau sourire de vendeur. Une amicale poignée de mains ! »

Un des yeux de Patrick sauta nerveusement alors

qu'il s'écroulait sur son siège. Il prit une grande inspiration et dit d'une voix très calme : «Une poignée de main? C'est cela la grande surprise? Tu m'offres une POIGNÉE DE MAIN?!»

Bob L'éponge s'approcha et prit la main de Patrick qu'il secoua vigoureusement. «Pas seulement une simple poignée de main! Une amicale poignée de mains! Joyeuse Saint-Valentin!»

Comme s'il s'agissait d'un signal, la grande roue émit un son métallique et commença à les redescendre doucement vers le sol.

Patrick regarda sa main. Il ne dit pas un mot, et même son visage se dégonfla de déception.

Patrick n'était pas content.

«Allons!» dit Bob L'éponge qui essayait de changer de sujet en entraînant Patrick sur le trottoir de planches vers le prochain manège. «Il y a beaucoup d'autres choses à voir!»

Premièrement, ils allèrent au kiosque de bonds et Bob L'éponge se mit à bondir gaiement ici et là comme un astronaute en apesanteur sur la lune. Patrick bondit lui aussi, mais cela n'améliora pas sa mauvaise humeur.

Ensuite ils se rendirent aux montagnes russes du Mollusque sauvage. Bob L'éponge et Patrick s'assirent dans le premier wagon et entamèrent une course sur les rails. Bob L'éponge criait et levait les bras pendant que Patrick regardait sa main en fronçant les sourcils.

Finalement, dans l'espoir que tout ce qu'il y avait à voir et à entendre à la Maison Tiki de l'humour allait remonter le moral de Patrick, Bob L'éponge entraîna son ami dans la salle des miroirs. Bob L'éponge rigolait en voyant le reflet de leurs corps tordus dans tous les sens, mais Patrick n'y prêtait aucune attention.

Bob L'éponge s'assit sur un banc et soupira. Comment pouvait-il arranger les choses pour faire sourire son ami déçu?

chapitre huit

Patrick s'assit, frotta son menton d'un air pensif et se tourna vers Bob L'éponge.

«J'ai réfléchi, dit-il d'une voix monotone. Au départ, une poignée de mains ne me semblait pas énorme, mais sincèrement, je crois que cela compte vraiment.»

Une longue anguille se glissa sur le banc. Elle tenait une grande boîte en forme de cœur. «Allô, Bob L'éponge! Je voulais juste te remercier pour cette adorable boîte de chocolats!»

Bob L'éponge sourit à l'anguille : «Pas de problème, Fran!»

Patrick fronça les sourcils, puis continua de parler : «Ce que je veux dire, c'est que même si je m'attendais à plus...»

Un poisson vert avec une nageoire pleine de roses nagea vers Bob L'éponge. «Merci pour les roses, Bob L'éponge! Joyeuse Saint-Valentin!»

Bob L'éponge s'enfonça dans le banc. «Hum, toi aussi, Dave! Je suis content que tu les aimes.»

Patrick serra les mâchoires, et continua : «Et ce n'est pas le fait que nous soyons amis depuis si longtemps qui importe...»

Un poisson bleu vêtu d'une robe jaune roulant à bicyclette s'arrêta à côté du banc. Il se pencha et dit : «Bonjour, Bob L'éponge! Merci pour la bicyclette!»

Bob L'éponge plongea la tête dans le collet de sa chemise blanche comme une tortue entre la tête dans sa carapace.

Le poisson bleu donna un coup de coude à Patrick et lui dit : « Ce garçon n'est-il pas incroyable ? Je n'ai fait sa connaissance que ce matin ! »

Alors qu'il s'éloignait, Patrick reprit : « Alors, comme j'étais en train de dire... »

« Excusez-moi, » dit une nouvelle voix. « Auriez-vous l'heure, par hasard ? »

Patrick pivota vers l'interlocuteur et l'attrapa par les épaules. Soulevant la malheureuse créature au-dessus de sa tête, l'étoile de mer en furie la projeta au milieu d'une partie du lancer de l'anneau de la Saint-Valentin.

« AAAAAAAAAAARGGGG ! s'écria Patrick. PATRICK A LUI AUSSI BESOIN D'AMOUR ! »

Patrick se mit à marteler sa poitrine de ses poings comme un gorille, puis il s'élança sur le trottoir de planches au beau milieu du site du carnaval en pleurant de rage et de déception.

« Oh non ! Tout est de ma faute ! s'exclama Bob

L'éponge en essayant de rattraper son ami. Je dois tenter de l'arrêter!»

«AAAAAARRRRGG! beugla Patrick. Où est MON amour? Où est l'amour pour Patrick?»

Plus personne n'était en sécurité! Ni le garçon qui déchirait les tickets à l'entrée, ni la fille qui vendait des sodas, ni même le pauvre poisson avec un énorme déguisement de Saint-Valentin rouge qui tentait de divertir les petits!

«Avoir un cœur est un art! chanta le poisson déguisé. Ton cœur m'appartiendra-t-il, ici, dans la saumure?»

«Oui! répondirent les petits poissons en agitant leurs nageoires. Nous t'aimons Petit Cœur!»

«Arrrgg! Je te défie, homme de cœur!» s'écria Patrick en bondissant pour disperser les enfants comme des quilles écailleuses.

«Courez! C'est un monstre!» s'écrièrent les enfants en fuyant se mettre à l'abri.

Patrick déchira le déguisement rouge vif des épaules du pauvre amuseur public, laissant le comédien confus en sous-vêtements!

Une sirène retentit. Par les haut-parleurs du site du carnaval, la voix d'un annonceur prévint : «Attention à tous! Il y a une étoile de mer grassouillette déchaînée!»

La panique s'empara du public! Tous coururent vers les sorties! Personne ne voulait se trouver sur le chemin d'une étoile de mer en furie! Tout spécialement lorsque celle-ci a vécu une terrible transformation : la couleur de Patrick était passée de rose à violet et ses yeux étaient injectés de sang. Gonflé de rage et de déception, il était maintenant devenu dix fois plus fort qu'une étoile de mer normale!

Il était également dix fois plus en colère.

«Malheureuse Saint-Valentin à tous!» hurla Patrick en accourant vers le manège de la balançoire pour deux. Il y avait des dizaines de paires de balançoires attachées à un long mât rayé rouge et blanc, au bout duquel était perché un cœur rouge géant et clignotant!

« Cœur sur mât doit mourir! » grogna Patrick.

Il enroula ses bras autour de la base du mât et força tant qu'il put pour le sortir du sol!

chapitre neuf

«GRRRR!» hurla Patrick en s'efforçant de démolir le manège.

«Non, Patrick! Ne fais pas cela! lui cria Bob L'éponge en restant à bonne distance. J'arrangerai les choses, je te le promets!»

Patrick grogna et tira de toutes ses forces, mais l'immense mât ne bougea pas.

Finalement, il tomba sur le derrière et prit sa tête dans ses mains.

«Ouin!» gémit-il tristement. «Ouiiiiiiiiiin!»

Une petite fille s'approcha de Patrick afin de voir

s'il allait bien. Elle mangeait une sucette en forme de cœur.

Patrick la vit, puis remarqua la sucette, et une fois de plus, il s'écria : « Cœur sur bâton doit mourir ! »

Prenant la sucette des mains de la fillette, l'étoile de mer arracha d'un coup de dents la friandise de son extrémité. Il la lécha et la croqua avec délice !

Bob L'éponge frappa du pied. Prendre une friandise des mains d'une fillette était une aberration !

« Patrick ! gronda-t-il. Comment as-tu pu ? »

L'étoile de mer se tourna d'un bloc, les yeux sortis de leurs orbites et la bouche barbouillée de sucette rouge. « Mwalughmuhgum ! » grogna-t-il. Il n'avait plus rien d'amical. Il n'était plus qu'un monstre écailleux !

Bob L'éponge poussa un cri effrayé et courrut se cacher au cœur de la foule assemblée. Il espérait y trouver la sécurité.

Patrick se mit à avancer les bras tendus vers les curieux.

Un pas en avant pour Patrick

Un en arrière pour la foule.

Bob L'éponge garda la tête baissée, espérant qu'ainsi Patrick ne le verrait pas.

Patrick hâta le pas et s'approcha davantage de la foule, ses yeux globuleux cherchant sa cible jaune carrée.

D'un même mouvement, la foule recula en essayant de garder une certaine distance avec l'étoile de mer en furie. Mais il n'y avait plus aucune issue puisque Patrick l'avait fait reculer jusqu'au bout du trottoir de planches!

« GRRRRRRRRRRRAAAAH! » hurla l'étoile de mer en colère.

« Donnez-moi B-o-b-b-b l'éponge! »

La foule lui lança aussitôt Bob L'éponge.

« Ha! Ha! Ha! Ha! Ha! » Bob L'éponge rit nerveusement en regardant Patrick. « Quoi de neuf? »

« Tu as brisé mon cœur! dit Patrick en agitant son poing. Maintenant, je te briserai quelque chose! »

Bob L'éponge se releva et mit ses mains au fond de ses poches.

« D'accord Patrick , dit-il tristement. Je sais que je le mérite ! »

« C'est vrai ! s'écria Patrick. Tu le mérites bien, Monsieur-le-plus-merveilleux-et-fabuleux-cadeau-de-Saint-Valentin-qui-soit ! »

Bob L'éponge montra du doigt la foule rassemblée derrière lui. « Je le mérite certainement, mais est-ce qu'eux le méritent ? » Tous se mirent à sourire nerveusement. Quelques-uns agitèrent leur portefeuille. Une femme fit un clin d'œil et envoya un baiser.

Patrick n'était pas dupe. Il frappa du pied et mugit : « Ils ne m'ont rien offert, eux NON PLUS ! »

Un torrent de chocolats, de valentins et de cadeaux atterrirent aussitôt aux pieds de Patrick.

« Non ! dit Patrick en piétinant le tas de cadeaux. Il est trop tard pour cela ! Et cela vaut pour TOUT LE MONDE ! »

Juste à ce moment, alors que l'étoile de mer en furie s'approchait de la foule en détresse, un nouveau son se fit entendre dans tout le site du carnaval! Une sorte de murmure, comme des milliers de dents qui claquent toutes ensembles, se fit entendre au-dessus du trottoir!

«Han! Allons petits mollusques!» cria Sandy en manœuvrant un ballon en chocolat en forme de cœur avec une guimauve rose en forme d'étoile de mer attachée de chaque côté! Le ballon avait été réparé!

D'une main, elle claquait du fouet et, de l'autre main, elle tenait les rênes des pétoncles maintenant apprivoisés qui tiraient la nacelle et le ballon!

«Hourra! Hourra! Sandy est ici! cria Bob L'éponge. La Saint-Valentin est sauvée!»

chapitre dix

«Au galop, pétoncles!» cria Sandy en manœuvrant le ballon d'une main experte. Lâchant les rênes, elle libéra les pétoncles et le valentin en chocolat atterrit sans bruit juste derrière Patrick.

Bob L'éponge était tellement énervé qu'il avait de la difficulté à parler. «Regarde Patrick! C'est ici! C'est ici! s'écria-t-il. Le plus beau valentin du monde se trouve juste derrière toi!»

«J'en suis con-on-on-onvaincu!»

«Je te l'assure! répondit Bob L'éponge en pointant le ballon. Tu vois?»

Patrick croisa les bras et lança un sourire sarcastique à Bob L'éponge. «Tu dois penser que je suis vraiment stupide, hein?»

«OUI!» répondit la foule à l'unisson.

«Eh bien, je ne le suis pas! Patrick ricana. Je sais qu'il s'agit encore d'un de tes tours!»

«Mais je te répète que ton valentin se trouve juste là! insista Bob L'éponge. Retourne-toi!»

«Non! Non!»

Bob L'éponge s'approcha de Patrick et tenta de le faire bouger, mais la costaude étoile de mer ne voulait pas bouger. «Allons Patrick! supplia-t-il. Retourne-toi!»

«Oui! Retourne-toi!» s'écria quelqu'un de la foule.

«Je n'en ferai rien!» répliqua Patrick.

«Retourne-toi! Retourne-toi! Retourne-toi! Retourne-toi!» scanda la foule.

Patrick demeura ferme. «Non, je ne le ferai pas!

Non, je ne le ferai pas ! » scanda-t-il en retour.

« Tourne-toi ! Tourne-toi ! »

« Vous ne pouvez pas me forcer à le faire ! »

« Tourne ! Tourne ! Tourne ! »

Patrick remonta son short et fronça les sourcils. « Je ne le ferai pas, je le répète, NON, je ne me retournerai pas sous aucun prétexte… JAMAIS ! »

« Allons, Patrick ! » cria Sandy du haut du ballon.

Patrick se retourna un grand sourire aux lèvres et lui envoya la main.

« Allô, Sandy ! » répondit-il avant que sa bouche ne tombe par terre et heurte le bois du trottoir en faisant ka-clunk.

Juste là, devant ses yeux fiévreux, se trouvait le plus grand, le plus original, le plus merveilleux valentin chocolaté du monde ! Exactement comme le lui avait promis Bob L'éponge !

« Duh-muh-ba-duh-guh… » balbutia Patrick en état de choc.

Bob L'éponge lui donna une tape amicale dans le dos. «Joyeuse Saint-Valentin, Patrick!»

«Hourra! Hourra! À moi! Valentin!» s'écria Patrick en courant embrasser le ballon de chocolat.

«Ahhhhhhhhhh!» s'exclama la foule soulagée.

S'efforçant de mettre ses bras autour du ballon, Patrick pressa son visage contre le chocolat. Le valentin semblait délicieux! Patrick ne pouvait s'empêcher d'en prendre une bouchée!

«Dis-moi, Bob L'éponge! S'agit-il de chocolat plein?» demanda l'étoile de mer avant d'enfoncer ses dents dans son valentin.

«Patrick, NON!» s'écria Bob L'éponge, mais son avertissement arriva trop tard.

Le ballon éclata dans un grand POUF! recouvrant tout le site du carnaval d'une énorme masse gluante. il y avait des morceaux de chocolat collant et de guimauve rose partout.

Après un moment, Patrick leva la tête. Son visage était barbouillé de chocolat.

On vit apparaître les pieds de Bob L'éponge puis le reste de son corps alors qu'il se tortillait hors des débris du ballon crevé. Sa tête et ses vêtements étaient couverts de chocolat.

Enfoncés jusqu'au cou dans la matière gluante, Patrick et Bob L'éponge se jetèrent un regard.

Patrick grimaça. «Euuuuuh, Bob L'éponge, dit-il. Tu n'avais pas à m'offrir quoi que ce soit!»

Procure-toi d'autres titres
de la même collection :

Thé au Dôme vert
Culotte nature
Un nouvel élève
La fusée de Sandy
Culotte à air